à Philip, Ronan et Solenn

Merci à Delphine Delastre, Béatrice Foulon et Josette Grandazzi

© Éditions de la Réunion des musées nationaux, 2003
49, rue Étienne-Marcel, 75001 Paris
© ADAGP, 2003
© Succession Picasso, 2003
ISBN : 2-7118-4560-5
JA 10 4560

Caroline Desnoëttes

LES 5 SENS AU MUSÉE

m

Amulette œil oudjat, Nouvel Empire-Basse époque, Égypte,
faïence, 6,2 cm, Paris, musée du Louvre, département des Antiquités égyptiennes

La vue

Avec les yeux, tu peux...

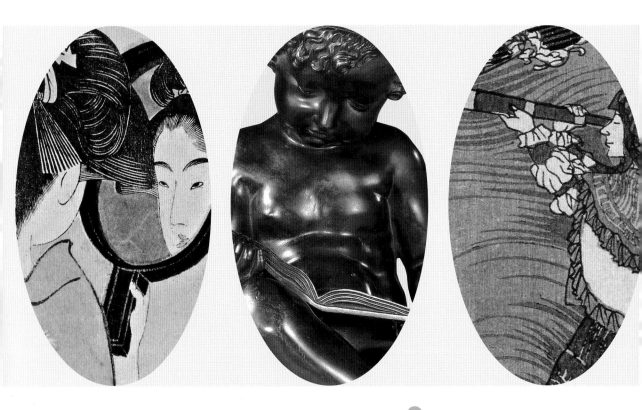

contempler

voir

épier

regarder

observer

Auguste Rodin (1840-1917), *La Cathédrale*,
pierre, 64 cm x 29,5 cm x 31,8 cm, Paris, musée Rodin

Le toucher

Avec les mains, tu peux...

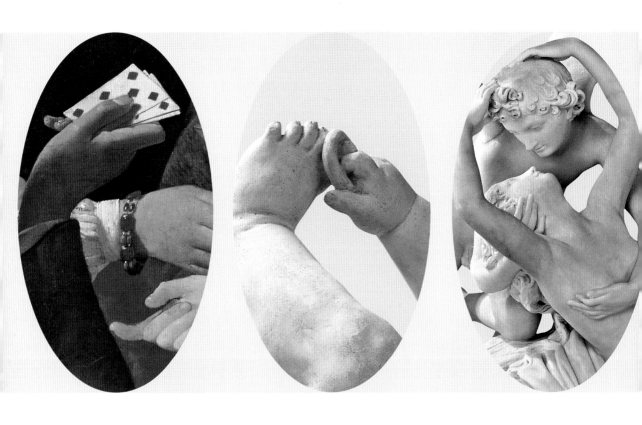

caresser

chatouiller

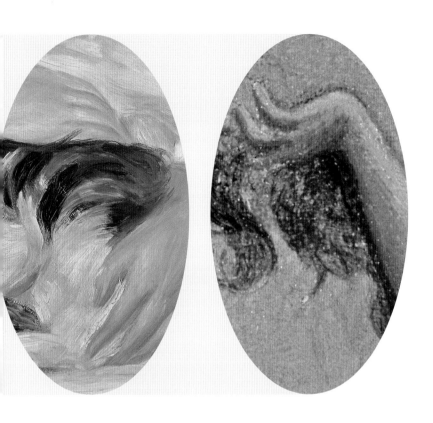

tenir   attraper

toucher

Masque-coiffe zoomorphe, masque Nigéria. Cameroun,
Paris, musée des Arts d'Afrique et d'Océanie

Le goût

Avec la bouche, tu peux...

apprécier

savourer

manger

goûter déguster

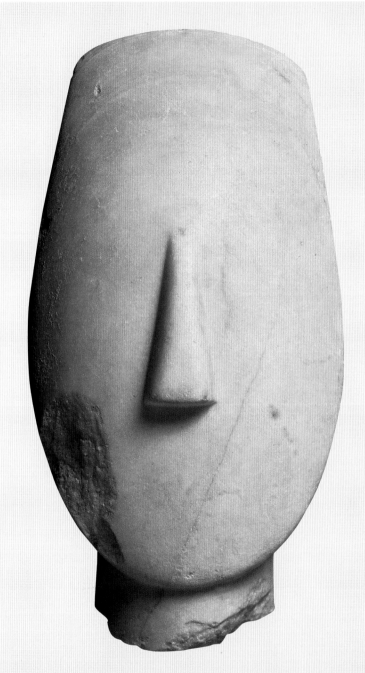

Tête d'une grande statuette féminine, 2700-2300 avant J.-C.,
provenant de l'îlot de Kéros (au sud de Naxos)-Cyclade, marbre, H. 27 cm,
Paris, musée du Louvre, département des Antiquités grecques, étrusques et romaines

L'odorat

Avec le nez, tu peux...

sentir

aspirer

respirer inhaler humer

Tête de Jina ; tête de Dhyani-bouddha provenant vraisemblablement de la façade d'un temple
ou monastère bouddhique, époque Malla récent (1482-1768/69), bois,
56 cm x 38 cm x 28 cm, Paris, musée des Arts asiatiques-Guimet

L'ouïe

Avec les oreilles, tu peux...

auditionner

percevoir

ouïr

entendre

écouter

Les œuvres sont présentées dans un ordre chronologique

Et maintenant,

imagine que tu te promènes

dans les grands musées français ...

Peux—tu retrouver

les cinq sens dans les œuvres ?

l'homme apprécie un bon plat.

Vicenzo Campi (1536-1591), *Repas de paysans,*
huile sur toile, 83,5 cm x 68,2 cm, Avignon, musée Calvet

le prince auditionne les musiciens.

Réception princière, Miniature, seconde moitié du XVIᵉ siècle, gouache et rehauts d'or sur papier, Iran, Qazwin, Paris, musée du Louvre, département des Antiquités orientales

le tricheur tient les cartes dans sa main.

Georges de La Tour (1593-1652), *Le Tricheur à l'as de carreau,*
huile sur toile, 106 cm x 146 cm, Paris, musée du Louvre, département des Peintures

la renommée aime ouïr le son de la trompe.

Charles Antoine Coysevox (1640-1720), *La Renommée à cheval sur Pégase*,1698-1702,
marbre de Carrare, 326 cm x 291 cm x 128 cm, Paris, musée du Louvre, département des Sculptures

La fillette sent la bonne odeur de la soupe.

Jean-Baptiste Siméon Chardin (1699-1779), *Le Bénédicité*,
huile sur toile, 49 cm x 38 cm, Paris, musée du Louvre, département des Peintures

l'enfant attrape son pied pour le chatouiller.

Martin-Claude Monnot (1733-1803), *Enfant jouant avec son pied*, 1779,
plâtre, 34,8 cm x 48,8 cm x 31,5 cm, Paris, musée du Louvre, département des Sculptures

les amoureux se touchent et s'enlacent tendrement.

Antonio Canova (1757-1822), *Psychée ranimée par le baiser de l'amour*, 1793, marbre, 155 cm x 168 cm, Paris, musée du Louvre, département des Sculptures

elles se contemplent dans le miroir.

Utamaro Kitagawa (1753-1806), *Deux Femmes se coiffant*, 1794-1795, estampe Nishikie,
format oban, sur papier, 38 cm x 25,2 cm, Paris, musée des Arts asiatiques-Guimet

L'enfant regarde le livre.

Charles-Gabriel Sauvage Lemire (1741-1827), *Enfant lisant*, vers 1800, bronze, H. 30 cm, Paris, musée du Louvre, département des Objets d'art

東都
三ツ
股の
圖

一勇斎
國芳画

l'homme inhale les effluves du bois brûlé.

Utagawa Kuniyoshi (1797-1861), *Paysage* (Toto Mitsumata), estampe nishiki-e ;
format oban yoko-e, papier, 26,3 cm x 37,7 cm, Paris, musée des Arts asiatiques-Guimet

33

l'enfant goûte le raisin.

David d'Angers, Pierre-Jean David dit (1788-1856), *L'enfant à la grappe*, 1845,
marbre, 131 cm x 55,2 cm x 48,5 cm, Paris, musée du Louvre, département des Sculptures

le garçon entend la mer dans le coquillage.

Jean-Baptiste Carpeaux (1827-1875), *Jeune Pêcheur à la coquille*, 1858,
Plâtre, 91 cm x 47,4 cm x 54,9 cm, Paris, musée du Louvre, département des Sculptures

une femme observe les bateaux avec une longue-vue.

Sadahide Hashimoto (1807-1878 ?), *Voiles au large d'un port de Californie : L'Amérique tryptique, partie centrale*, 1862, estampe nishiki-e ; papier, 37 cm x 75 cm, Paris, musée des Arts asiatiques-Guimet

elle respire l'arôme des fleurs.

Claude Monet (1840-1926), *Femmes au jardin, à villa d'Avray*, 1867,
huile sur toile, 255 cm x 205 cm, Paris, musée d'Orsay

Julie caresse son chat.

Auguste Renoir (1841-1919), *Julie Manet dit L'Enfant au chat*, 1887,
huile sur toile, 65,5 cm x 53,5 cm, Paris, musée d'Orsay

elle perçoit le chuchotement de son amie à son oreille.

Truphème Auguste-Joseph (1836-1898), *En Retenue*, 1888, huile sur toile, 207 cm x 145 cm, Paris, Petit Palais, musée des Beaux-Arts de la Ville de Paris

les Tahitiennes écoutent la mélodie de la flûte.

Paul Gauguin (1848-1903), *Aréaréa (Joyeusetés)*, 1892,
huile sur toile, 73 cm x 94 cm, Paris, musée d'Orsay

un petit garçon mange une tartine.

Frédéric Léon (1856-1940), *Les Âges de l'ouvrier*, tryptique, panneau central,
1895-1897, huile sur toile, 163 cm x 187 cm, Paris, musée d'Orsay

il épie par le trou de la serrure.

Rémy Cogghe (1854-1935), *Madame reçoit*, 1908, huile sur toile,
92,5 cm x 66,5 cm, Roubaix, musée La Piscine-musée d'Art et d'Industrie André Diligent,
don de la société des Amis du musée en 1988

elle attrape ses cheveux dans le vent.

Pablo Picasso (1881-1973), *Les Baigneuses*, Été 1918, huile sur toile,
27 cm x 22 cm, Paris, musée Picasso

le ramoneur déguste des écrevisses.

Chocarne Moreau (1856-1931), *Le Pâtissier et le ramoneur*, huile sur toile,
35 cm x 28 cm, Dijon, musée des Beaux-Arts

44

l'homme aspire la fumée du tabac.

Roger de La Fresnaye (1885-1925), *Soldat Fumant*, 1919, aquarelle sur papier,
26 cm x 20 cm, Villeneuve d'Ascq, musée d'Art moderne Lille Métropole

45

la petite fille savoure toutes sortes de douceurs.

Maria Blanchard (1881-1932), *L'Enfant aux pâtisseries*, huile sur toile,
146,5 cm x 92 cm, Paris, musée d'Art moderne de la Ville de Paris

la femme hume le parfum de l'eau de Cologne.

Leonetto Cappiello (1875-1942), *Enivrante Eau de Cologne*, 1923, affiche, 52,5 cm x 42 cm, Grasse, musée international de la Parfumerie

le peintre met ses lunettes pour mieux *voir*.

Léonard Foujita (1886-1968), *Autoportrait*, huile sur toile, 1926,
81 cm x 60,5 cm, Lyon, musée des Beaux-Arts

Crédits photographiques

Avignon, musée Calvet : p. 24

Grasse, musée international de la Parfumerie : p. 47

Paris, musée d'Art moderne de la Ville de Paris : Bulloz, p. 46

Paris, Petit Palais, musée des Beaux-Arts de Ville de Paris : Pierrain, p. 39

Paris, musée Rodin : E.& P. Hesmerg, p. 6

Paris, Réunion des musées nationaux : H. Lewandowski, p. 2, 14, 18, 25, 28, 37, 38, 40
H. Bréjat, p. 31, 33, Arnaudet, p. 32, 35, 36, 41, 44, R.G. Ojéda, p. 27, 29, 48, G. Blot, p. 26,
C. Jean, p. 30, 34, B. Hatala, p. 43, Labat, p. 10,

Roubaix, musée La Piscine-Musée d'Art et d'Industrie André Diligent : A. Loubry, p. 42

Villeneuve d'Ascq, musée d'Art moderne Lille Métropole :
Ph. Bernard, p. 45

Publication du département de l'Édition dirigé par Béatrice Foulon

Coordination éditoriale
Josette Grandazzi assistée de Julie Lecomte

Fabrication
Jacques Venelli

Conception graphique
Delphine Delastre

Les illustrations ont été gravées par Graphic, Milan, Italie

Cet ouvrage a été achevé d'imprimer en mars 2003 sur les presses de l'imprimerie Artegrafica, Vérone, Italie
Le façonnage a été réalisé également par Artegrafica

Dépôt légal : mars 2003
ISBN : 2-7118-4560-5
JA 10 4560